ELMER et
Papa Rouge

Pour Gillian et Eric Hill

ISBN 978-2-211-21145-1
Première édition dans la collection *lutin poche*: novembre 2013
© 2013, l'école des loisirs, Paris, pour l'édition en *lutin poche*
© 2010, kaléidoscope, pour la traduction française
© 2010, David McKee
Titre de l'ouvrage original: «Elmer and Papa Red»
Éditeur original: Andersen Press, 20 Vauxhall Bridge Road, London SW1V 2SA
Loi numéro 49 956 du 16 juillet 1949 sur les publications
destinées à la jeunesse: septembre 2010
Dépôt légal: octobre 2017
Imprimé en France par I.M.E. à Baume-les-Dames

David McKee

ELMER et Papa Rouge

kaléidoscope
les lutins de l'école des loisirs
11, rue de Sèvres, Paris 6ᵉ

Elmer, l'éléphant bariolé, a un large sourire.

Dans deux jours, Papa Rouge fera sa tournée, comme chaque année.

Les jeunes éléphants sont très impatients.

« Emmène-les faire une promenade, Elmer », suggère un éléphant plus âgé.

« Pendant ce temps, nous préparerons tranquillement les cadeaux. »

« En route, les jeunes », dit Elmer, « nous allons chercher le sapin. »
Les petits éléphants poussent des cris de joie et se précipitent vers Elmer.

«Est-ce que nous allons là où habite Papa Rouge?» demandent-ils.

«Pas loin», répond Elmer.

«L'as-tu déjà vu, toi?» Elmer sourit.

«Oui», dit-il. Et pendant tout le reste de la promenade,
les petits lui posent des questions sur Papa Rouge.

Le chemin grimpe toujours plus haut.
La jungle devient une forêt de sapins.
Puis, pour la première fois de leur vie, les éléphanteaux
voient de la neige. Ils en oublient Papa Rouge.

Elmer les laisse s'amuser dans la neige et va choisir un sapin.
«Bonjour, Elmer», dit un renne. «Si tu veux qu'ils voient Papa Rouge
demain, pas de problème, mais tiens-les cachés car une nuit
bien remplie nous attendra.»
«Je sais», dit Elmer. «Nous ne vous dérangerons pas.»

Elmer choisit un sapin qu'ils pourront facilement replanter après.
Tous les petits aident Elmer à le transporter. Il est tard maintenant.
« Au lit sans discussion dès que nous serons à la maison », dit Elmer.
« Nous aurons beaucoup à faire demain. »

Le lendemain, chacun participe à la décoration de l'arbre.
« Les cadeaux ! Les cadeaux ! » crient les éléphanteaux.

Les cadeaux, joliment empaquetés, sont disposés autour du sapin.
Quand les préparatifs sont terminés, les autres animaux viennent
admirer le résultat.
« Magnifique ! » s'exclament-ils.

Cette nuit-là, tandis que les adultes sont endormis,
ou font semblant, Elmer rassemble tous les petits éléphants.
«Vous allez enfin voir Papa Rouge», dit-il.
«Cachez-vous là où vous pourrez le regarder sans être vus.»

Les éléphanteaux terminent de bien se cacher quand six rennes descendent
du ciel en tirant un traîneau conduit par Papa Rouge. Ils atterrissent,
et Elmer aide Papa Rouge à mettre tous les cadeaux dans le traîneau.
«Merci, Elmer», dit Papa Rouge. «Je suis content que personne
ne nous ait vus», ajoute-t-il en clignant de l'œil.

Papa Rouge s'envole
et les éléphanteaux sortent de leur cachette.
« Nous l'avons vu ! Nous l'avons vu ! » crient-ils.
« Il a emporté tous les cadeaux ! »
« C'est ainsi. Nous offrons des cadeaux, et Papa Rouge
les apporte à ceux qui en ont le plus besoin. »

Une fois que les éléphants sont endormis,
Elmer va sans bruit déposer auprès de chaque petit
le cadeau que Papa Rouge a laissé pour lui.
Elmer a un large sourire. « Ah, ce bon vieux Papa Rouge ! » dit-il.